MACRAMÉ

paulette hervieux
MACRAMÉ

patrons

éditions du jour

Distributeur: Agence de distribution populaire
Conception graphique : Pierre David
Photos : Pierre David
Photo couverture arrière : Gracieuseté de Jacques Durguerian
Copyright : Les Éditions du Jour Inc.
Dépôt Légal : 3e Trimestre 1977
Bibliothèque Nationales du Québec
ISBN: 0-7760-0746-7
Imprimé au Canada

introduction

L'auteur du présent livre est une artisane québécoise active depuis plusieurs années dans la région de Montréal, enseignant la technique du macramé et exposant ses travaux. Elle a fait plusieurs apparitions à la télévision et à la radio. Elle a contribué à l'art du macramé par ses articles dans des publications locales et nationales. Son livre **"TECHNIQUE DU MACRAMÉ"** publié en 1973 atteint le tirage de 50,000 exemplaires et demeure populaire auprès de ceux qui sont intéressés à cet agréable passe-temps.

Aujourd'hui, il y a une grande variété de matériaux utiles au macramé qui sont disponibles sur le marché. Dans ce livre, en plus d'une brève description de la technique plus avancée, les patrons répondent aux besoins de ceux qui désirent faire des articles utiles et agréables aussi bien que créatifs et décoratifs.

Les possibilités sont nombreuses dans le macramé. C'est à espérer que ce livre stimulera votre imagination créative.

conseils trucs

Pour empêcher les cordes de se détordre, il suffit de faire un mouchet, au bout, ou les coller: les cordes de nylon peuvent être brûlées.

● ● ●

Il est plus facile de travailler une suspension en la suspendant à un crochet, au plafond. La hauteur peut être ajustée en utilisant une corde à laquelle on suspend la pièce à travailler.

● ● ●

Les retailles sont utilisées pour finir les franges et les glands.

● ● ●

Pour déterminer la longueur des cordes, il est bon de faire un échantillon de quelques pouces carrés.

● ● ●

Pour obtenir une tension régulière dans une torsade, il faut bien tirer les cordes porte-noeuds après avoir inversé les cordes à nouer.

table de convertion métrique

index des patrons

suspension avec noeuds de feston alternatifs, hauteur 52''

MATÉRIEL:
- 22 verges de corde, grosseur 6 mm.
- 1 anneau de cuivre de 2½ '' de largeur.
- 3 cylindres de bambou de 1½ '' de longueur.

EXÉCUTION:
1. Coupez 3 longueurs de 240''.
2. Pliez toutes les cordes, ensemble, en deux.
3. Montez à l'endroit sur l'anneau. (Fig. 4) Faites un papillon par corde. (Fig. 22)
4. Divisez par groupes de 2 cordes.
5. Avec 2 cordes, faites 10'' de noeuds de feston alternés. (Fig. 19)
6. Enfilez les deux cordes dans le cylindre.
7. Faites 15'' de noeuds de feston alternés. Répétez avec les deux autres groupes.
8. 6'' plus bas, faites un mouchet avec une corde du cordonnet de gauche et une corde du cordonnet de droite. (Fig. 38) Répétez avec les autres cordes.
9. 5'' plus bas, répétez le no. 8.
10. 4'' plus bas, réunissez toutes les cordes par un mouchet. (Fig. 2)
11. Égalisez les cordes du gland.

suspension avec torsades, hauteur 50''

MATÉRIEL:
- 55 verges de corde, grosseur 3 mm.
- 1 vase de 13'' de diamètre par 5'' de hauteur.
- 1 anneau de cuivre de 2'' de diamètre.

EXÉCUTION:
1. Coupez 14 cordes de 100'' de longueur.
2. Coupez 1 corde de 520'' de longueur. Pliez en deux et faites un papillon avec chacune des cordes. (Fig. 22)
3. Pliez en deux les 14 cordes de 100'' et passez l'anneau jusqu'au milieu ou au pli. Faites tenir en place à l'aide d'un ruban adhésif.
4. Fixez par le milieu la corde de 520'' en dessous des cordes et près de l'anneau.
5. Faites une torsade de 24'' de longueur avec les cordes en papillon. (Fig. 8)
6. Divisez les cordes par groupes de quatre.
7. Faites une torsade de 5'' en utilisant les 2 plus petites cordes au centre et les deux plus longues pour nouer.
8. 1½'' plus bas, faites un mouchet. (Fig. 2)
9. 1½'' plus bas, faites une torsade de 5''. (Fig. 8)
10. 6'' plus bas, faites un mouchet avec 2 cordes du cordonnet de droite et 2 cordes du cordonnet de gauche. (Fig. 38)
11. 4'' plus bas, faites un mouchet avec toutes les cordes. (Fig. 2)
12. Égalisez le gland.
13. Faites plusieurs mouchet dans chacune des cordes du gland. (Fig. 2)
Ou, remplacez ceux-ci par des noeuds de capucin. (Fig. 3)

suspension double,
hauteur 50"

MATÉRIEL:
- 130 verges de corde, grosseur 1 mm.
- 1 anneau de 2½ " de diamètre.
- 1 anneau de 4" de diamètre.
- 1 anneau de 5" de diamètre.
- 1 cerceau de 10" de diamètre.
- 1 vase de 6" de diamètre.
- 1 vase de 13" de diamètre.

EXÉCUTION:
Coupez 12 cordes de 8 verges.
Coupez 6 cordes de 4 verges.
Coupez 2 cordes de 2 verges.

A) CORDES EXTÉRIEURES.
1. Pliez les 12 cordes de 8 verges, en deux.
2. Montez à l'endroit les 12 cordes ensemble sur l'anneau de 2½ " de diamètre. (Fig. 4)
3. Faites un papillon par corde en commençant près de l'anneau. (Fig. 22)
4. Enrobez les cordes 2" de longueur, avec une corde de 2 verges. (Fig. 23)
5. Divisez par groupes de 4 cordes. (6 groupes)

6. Faites une torsade de 4" de longueur, avec 2 cordes porte-noeuds et 2 cordes à nouer. (Fig. 8)
7. Répétez avec les 5 autres groupes.
8. Faites un noeud-double avec chacune des cordes sur l'anneau de 4". (Fig. 11)
9. Partagez également sur l'anneau.

B) CORDES INTÉRIEURES:
1. Montez à l'endroit 2 cordes de 4 verges à toutes les 2 torsades. (3 groupes) (Fig. 4)
2. Faites 14" de torsade avec chacun des groupes. (Fig. 8)
3. 4" plus bas, faites un noeud-plat avec les 2 dernières cordes de gauche et les 2 premières de droite des torsades. (Fig. 38)
4. Continuez ainsi avec le reste des cordes.
5. 4" plus bas, enrobez les cordes avec une corde de 2 verges. (Fig. 23)
6. Égalisez le gland.

REPRENDRE LES CORDES EXTÉRIEURES.
1. Divisez par groupes de 4 cordes (6 groupes) en prenant 2 cordes de gauche et 2 cordes de droite.

21

2. 2'' plus bas faites une torsade de 14''.
   Répétez avec les 5 autres groupes.
3. Faites un noeud-double sur l'anneau de 10'' de diamètre avec chacune des cordes. (Fig. 11)
4. Disposez à égale distance sur l'anneau.
5. 3'' plus bas avec les 2 dernières cordes de gauche
   et les 2 premières de droite, faites 17'' de torsade.
   Répétez avec les 5 autres groupes.
6. 1½ '' plus bas, faites un noeud-double sur l'anneau
   de 5'' de diamètre. Disposez également sur l'anneau.
7. Coupez la frange à 9''.
8. Montez à l'envers 11 cordes de 20'' de longueur,
   entre chaque groupe déjà noué sur l'anneau. (Fig. 5)
9. Égalisez les cordes.

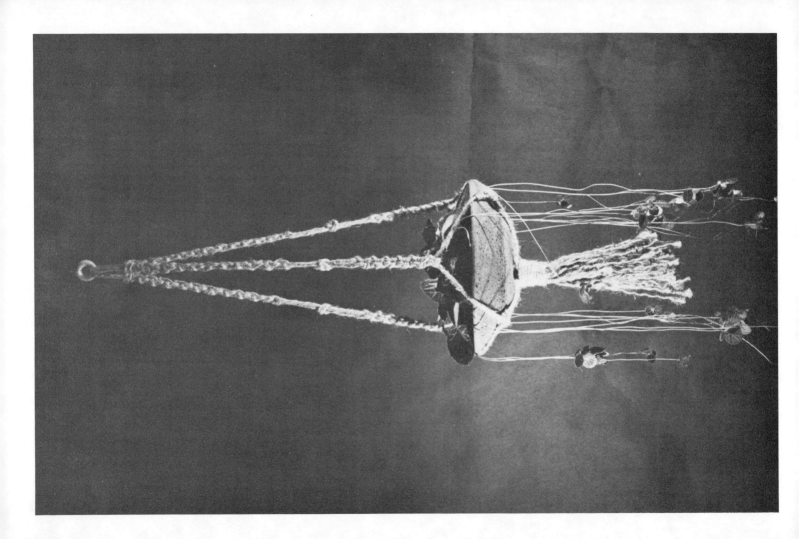

suspension en grosse corde, hauteur 36"

MATÉRIEL:
- 12 verges de corde, grosseur 5 mm.
- 1 anneau de 1" de diamètre.

EXÉCUTION:
1. Coupez 3 cordes de 120", faites un papillon par corde. (Fig. 22)
   Coupez 1 corde de 36".
2. Passez les 3 cordes de 120" dans l'anneau et fixez-la au milieu des cordes à l'aide de ruban adhésif.
3. 2" plus bas, faites un mouchet avec une corde de chaque côté de l'anneau. (Fig. 2)
4. Faites 7½ " de noeuds de feston alternés. (Fig. 19)
5. 2" plus bas, faites un mouchet. (Fig. 2)
6. 2" plus bas, faites 4" de noeuds de feston alternés. (Fig. 19)
7. Répétez avec les autres cordes no. 3 à 6.
8. 5" plus bas, faites un mouchet avec une corde du cordonnet de gauche et une corde du cordonnet de droite. (Fig. 38)
9. Répétez avec les autres cordes.
10. 5" plus bas, réunissez toutes les cordes.
11. Enrobez les cordes avec la corde de 36". (Fig. 23)
12. Faites un gland. (Fig. 26)

suspension en grosse corde, hauteur 32"

MATÉRIEL:
- 10 verges de corde, grosseur 5 mm.
- 1 anneau 1½" de diamètre.

EXÉCUTION:
1. Coupez 3 cordes de 120", faites un papillon par corde. (Fig. 22)
2. Passez les cordes jusqu'au milieu dans l'anneau et fixez à l'aide de bandes élastiques.
3. Avec une corde de chaque côté de l'anneau, faites 17" de noeuds de feston alternés. (Fig. 19)
4. Répétez avec les autres cordes.
5. 4" plus bas, faites un mouchet avec une corde du cordonnet de gauche et une corde du cordonnet de droite. (Fig. 38)
6. Répétez avec le reste des cordes.
7. 5" plus bas, enrobez les cordes. (Fig. 23)
8. Faites un gland. (Fig. 26)

suspension avec cerceau, hauteur 56"

MATÉRIEL:

- 196 verges de corde pâle, grosseur 4 mm.
- 10 verges de corde foncée.
- 1 anneau de 3" de diamètre.
- 1 cerceau de 8" de diamètre.
- 1 cerceau de 14" de diamètre.

EXÉCUTION:

1. Enrobez le cerceau de 14" de diamètre avec une corde foncée. (Fig. 30)
2. Coupez 32 cordes de 120" de longueur.
   Coupez 8 cordes de 8 verges.
   Coupez 4 cordes de 8 verges.
3. Passez les 32 cordes de 120". Pliez en deux et fixez l'anneau au milieu.
4. Faites 2" d'enrobage avec une corde foncée autour de toutes les cordes en dessous de l'anneau. (Fig. 23)
5. Divisez par groupes de 4, (16 groupes).
6. 3" plus bas, avec une corde de 8 verges, faites 12" de torsade autour de 4 cordes. (Fig. 8)
7. Répétez avec les 15 autres groupes.
8. Faites un noeud double sur le cerceau de 14" avec toutes les cordes. (Fig. 11)
9. Divisez par groupe de deux cordonnets (8 cordonnets)
10. Partagez à égale distance sur le cerceau.
11. Avec une corde de 8 verges, faites 12" de torsade autour de toutes les cordes. (12 cordes) (Fig. 8)
12. Répétez avec les 7 autres groupes.
13. Faites un noeud double sur le cerceau de 8" de diamètre avec toutes les cordes. (Fig. 11)
14. 8" plus bas, attachez toutes les cordes et enrobez avec une corde foncée. (Fig. 23)
15. Égalisez le gland.

suspension avec billes,
hauteur 42"

MATÉRIEL:
- 42 verges de corde, grosseur 2 mm.
- 1 gros cylindre, 2 pouces de longueur.
- 12 billes ovales de 1" de longueur.
- 1 champignon double.

EXÉCUTION:
1. Coupez 4 cordes de 7 verges.
   Coupez 4 cordes de 3 verges.
2. Pliez les cordes de 7 verges en deux et faites un papillon par corde. (Fig. 22)
3. Pliez les petites cordes en deux.
4. Réunissez tous les bouts des cordes pliées en deux et passez dans le cylindre.
   Fixez celui-ci à deux pouces plus bas.
5. Retenez les cordes ensemble à l'aide d'une bande élastique.
6. Divisez par groupe de 4 cordes (4 groupes), en ayant soin de placer 2 petites cordes au centre et 2 cordes avec papillon de chaque côté.
7. 5" plus bas, faites un cordonnet de noeud plat de 2". (Fig. 7)
   Enfilez les 2 cordes du centre dans la bille de 1½".
8. 5" plus bas, faites 2½" de torsade. Enfilez une bille de 1½". (Fig. 8)
9. Faites 2½" de noeud plat. Enfilez une bille de 1½". (Fig. 7)
10. Faites 4" de torsade. (Fig. 8)
11. Répétez avec les 3 autres groupes.
12. Placez les cordonnets successivement.
13. 5" plus bas, faites un noeud plat avec 2 cordes du cordonnet de droite. (Fig. 38)
14. Continuez avec les autres cordes. (Fig. 38)
15. 3" plus bas, répétez le no. 13 et 14.
16. Égalisez les cordes et faites un gland. (Fig. 26)

suspension avec billes,
hauteur 45''

MATÉRIEL:
- 100 verges de corde, grosseur 1 mm.
- 1 terrarium.
- 6 billes ovales de 1'' de longueur.
- 3 billes ovales de 1½ '' de longueur.
- 2 anneau de bois de 3'' de diamètre.

EXÉCUTION:
1. Coupez 12 cordes de 280'' de longueur. Pliez en deux et faites un papillon par corde. (Fig. 22)
2. Montez à l'endroit les 12 cordes sur l'anneau. (Fig. 4)
3. Divisez par groupe de quatre. (6 groupes)
4. Faites 1½ '' de torsade. (Fig. 8)
5. Répétez à 2'' plus bas. Continuez ainsi jusqu'à l'obtention de 5 torsades.
6. Enfilez les deux cordes du centre dans une bille de 1'' de longueur.
7. Faites 1½ '' de torsade. (Fig. 8)
8. Répétez les nos. 4-5-6-7 avec les 5 autres groupes.
9. Placez les cordonnets en suivant leur rang respectif. 2'' plus bas de la dernière torsade, réunissez les cordonnets par groupe de 2. (3 groupes)
10. Faites 18'' de torsade avec 4 cordes porte-noeuds et 2 cordes de chaque côtés pour nouer.
11. Enfilez les 4 cordes du centre dans la bille de 1½ ''.
12. Répétez avec les deux autres cordonnets.
13. Faites 7'' de torsade avec 16 cordes porte-noeuds et 4 cordes de chaque côté pour nouer.
14. 3'' plus bas, passez les 16 cordes dans l'anneau et ramenez le bout des cordes à la fin du travail.
15. Coupez les cordes trop longues. Faites tenir ensemble à l'aide d'un ruban adhésif.
16. Continuez la torsade par dessus toutes les cordes jusqu'à l'anneau.
17. Coupez les cordes, entrez les bouts.

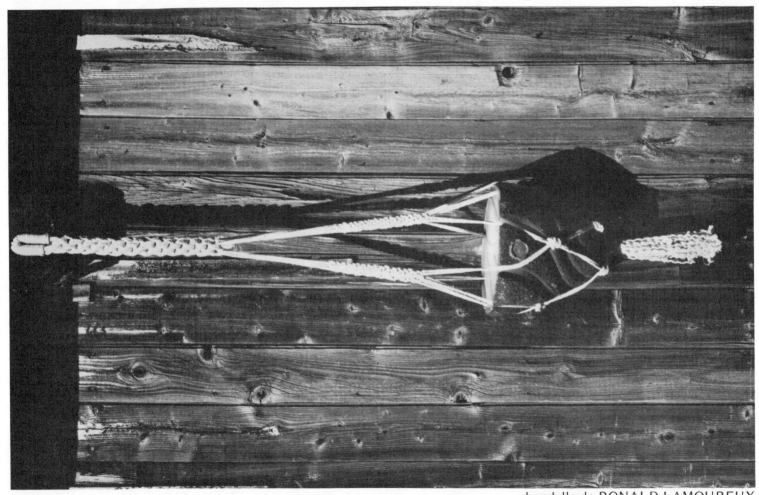

chandelle de RONALD LAMOUREUX

suspension avec couronne chinoise, hauteur 54"

MATÉRIEL:
- 68 verges de corde, grosseur 4 mm.

EXÉCUTION:
1. Coupez 8 cordes de 8 verges.
   Coupez 1 corde de 3 verges.
   Coupez 1 corde de 1 verge.
2. Pliez en deux les cordes de 8 verges.
3. Enrobez 6" de longueur toutes les cordes, avec la corde de 3 verges. Commencez à 3" avant le milieu des cordes de façon à ce qu'il y ait 3" de chaque côté. (Fig. 23)
4. Divisez par groupes de 4 cordes.
5. Faites 10" de couronne chinoise. (Fig. 24)
6. Divisez par groupes de 4 cordes.
7. 9" plus bas faites 6" de couronne chinoise.
8. Répétez avec les 3 autres groupes.
9. 8" plus bas, faites un mouchet avec 2 cordes du cordonnet de gauche et 2 du cordonnet de droite. (Fig. 38)
10. Continuez avec les autres cordes.
11. Répétez 9-10, 4" plus bas.
12. 1½ " plus bas, enrobez toutes les cordes avec la corde de 1 verge. (Fig. 23)
13. Égalisez le gland.

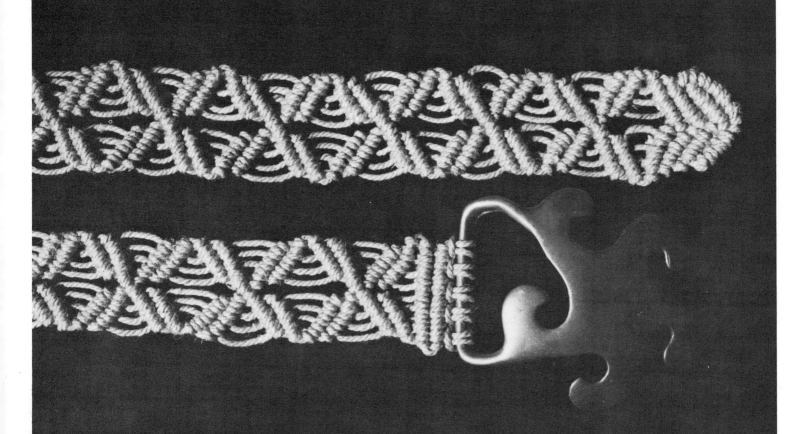

ceinture avec baguette de noeuds doubles en "x"

MATÉRIEL:
- corde, grosseur 1 mm.
- 1 boucle de 1½ " de largeur.

EXÉCUTION:
1. Mesurez votre tour de taille plus 3" et multipliez par 9.
2. Coupez 5 cordes de la longueur désirée.
3. Pliez en deux et faites un papillon par corde. (Fig. 22)
4. Montez à l'endroit sur la boucle. (Fig. 4)
5. Faites 2 baguettes horizontales de noeuds doubles. (Fig. 11)
6. Faites 2 baguettes diagonales fermées de noeuds doubles en X. (Fig. 13- fig. 15)
7. Continuez jusqu'à l'obtention de la longueur désirée.
8. Faites 4 baguettes diagonales en alternant de gauche à droite pour la finition.
9. Coupez les cordes et rentrez les bouts.

ceinture avec fleurs

MATÉRIEL:
- corde, grosseur 2 mm.
- 1 boucle de 2" de largeur.

EXÉCUTION:
1. Mesurez la tour de taille plus 3" et multipliez par 10.
2. Coupez 8 cordes de la longueur désirée.
3. Pliez en deux et faites un papillon par corde. (Fig. 22)
4. Montez les 8 cordes à l'endroit sur la boucle. (Fig. 4)
5. Faites une fleur. (Fig. 27)
6. À 2" de moins que la longueur, faites 4 baguettes diagonales, en alternant de gauche à droite. (Fig. 12)
7. Coupez les cordes et rentrez à l'envers du travail.

ceinture avec noeud plat
dans pointe de diamant

MATÉRIEL:
- 1 boucle de 1½ '' de largeur.
- corde, grosseur 1 mm.

EXÉCUTION:
1. Mesurez votre tour de taille plus 3'' et multipliez par 10.
2. Coupez 8 cordes de la longueur désirée.
3. Pliez en deux et faites un papillon. (Fig. 22)
4. Montez à l'endroit sur la boucle. (Fig. 4)
5. Faites 9 rangs de noeuds plats alternés. (Fig. 9)
6. Faites un noeud plat avec les cordes 3-4-5-6 et 11-12-13-14.
7. Faites un noeud plat avec les cordes 1-2-3-4 et 13-14-15-16.

POINTE DE DIAMANT:

CÔTÉ DROIT.
1. Prenez la corde 8 comme porte-noeuds et faites une baguette diagonale de gauche à droite. (Fig. 12)
2. Faites 2 autres baguettes diagonales fermées de gauche à droite en utilisant la première corde nouer comme porte-noeuds. (Fig. 15)

CÔTÉ GAUCHE.
1. Prenez la corde 8 (qui était la 9ième) comme porte-noeuds et faites une baguette diagonale de droite à gauche. (Fig. 12)
2. Faites 2 autres baguettes diagonales fermées de droite à gauche en utilisant la première corde nouée comme porte-noeuds. (Fig. 15)
3. Faites un noeud plat collectif au centre, avec 3 cordes à nouer de chaque côté et 8 cordes porte-noeuds. (Fig. 17)
4. Faites 3 baguettes diagonales fermées de chaque côté pour terminer la pointe. (Fig. 15)
5. Faites un noeud plat avec les cordes 1-2-3-4 et 13-14-15-16 près des baguettes.
6. Faites un noeud plat avec les cordes 3-4-5-6 et 11-12-13-14.
Recommencez le patron à partir du premier rang de noeuds plats alternés, jusqu'à la longueur désirée.
Faites une pointe de noeuds plats. (Fig. 10)
Faites 3 baguettes diagonales, en alternant de gauche à droite. (Fig. 12)
Coupez les cordes et rentrez les bouts.

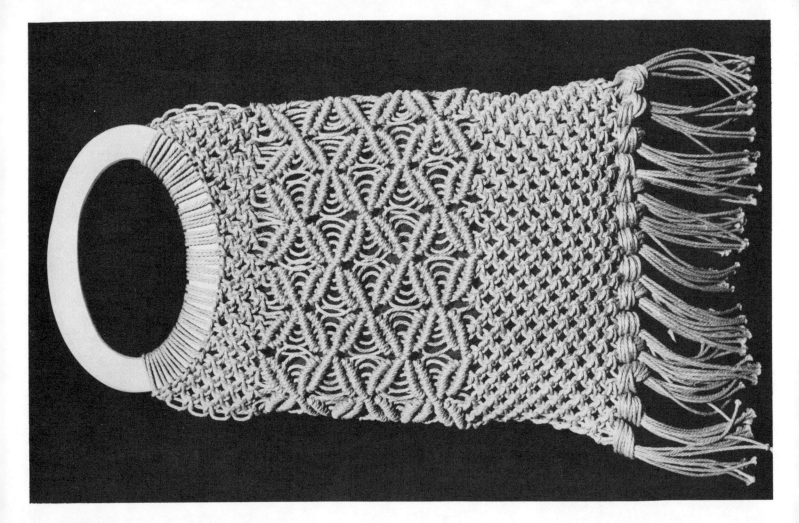

sac à main avec poignées ovales

MATÉRIEL:
- 1 paire de poignée ovale de 7''.
- Corde de grosseur 2 mm.

EXÉCUTION:
1. Coupez 56 cordes de 138''.
2. Montez à l'endroit 28 cordes par poignée. (Fig. 4)

DEVANT:

CÔTÉ GAUCHE:
1. Faites 5 rangs de noeuds plats alternés avec les 12 premières cordes. (Fig. 9)

CÔTÉ DROIT:
1. Faites 5 rangs de noeuds plats alternés avec les cordes de droite. (Fig. 9)
   Reprendre le travail en commençant par les cordes à gauche.
1. Continuez les noeuds plats alternés en ajourant les rangs de façon à ce que les noeuds plats fassent une rangée horizontale, jusqu'à l'obtention de 1½ '' de longueur.

2. Divisez les cordes par groupes de 7 ou 8 groupes.
3. Faites les baguettes de noeuds-doubles en forme de fleurs. (Fig. 27)
4. Répétez jusqu'à l'obtention de 3 fleurs complètes.
5. Faites 4'' de noeuds plats alternés. (Fig. 9)

DOS:
Procédez de la même façon que le devant.

ASSEMBLAGE:
Réunissez les 2 côtés, envers sur envers.
Faites un point de surjet à partir de 2½ '' du haut.

FRANGE:
Faites un mouchet avec 4 cordes du devant et 4 cordes du dos. (Fig. 2)
Égalisez la frange.

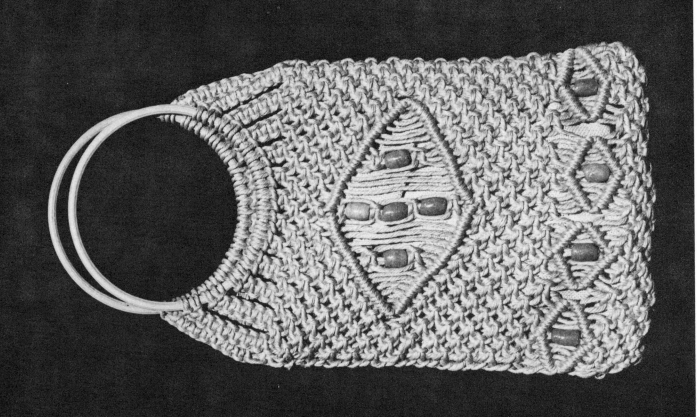

sac avec poignées rondes

MATÉRIEL:
- 180 verges de corde, grosseur 3 mm.
- 2 cerceaux de 6'' de diamètre.
- 18 billes.

EXÉCUTION:
1. Coupez 48 cordes de 135''.
2. Pliez en deux et faites un papillon par corde. (Fig. 22)

A) DEVANT.
1. Montez 24 cordes à l'endroit sur un cerceau. (Fig. 4)
2. Divisez par groupes de 4.

CÔTÉ GAUCHE.
Faites 6 cordonnets de noeuds plats en commençant par les 4 premières cordes de gauche. (Fig. 7)
1er cordonnet de 7 noeuds plats.
2ième cordonnet de 5 noeuds plats.
3ième cordonnet de 3 noeuds plats.
4ième cordonnet de 2 noeuds plats.
5ième cordonnet de 1 noeud plat.
6ième cordonnet de 1 noeud plat.

CÔTÉ DROIT.
1. Faites l'inverse en commençant par les 4 dernières cordes de droite.
2. Placez la fin des cordonnets à égale hauteur sur la table de travail.
3. Faites 3 rangs de noeuds plats alternés. (Fig. 9)

CÔTÉ GAUCHE DU LOSANGE.
1. Continuez les rangs de noeuds plats alternés en laissant les deux dernières cordes de côté, à chaque rang. (Fig. 10)
2. Continuez jusqu'à l'obtention d'un noeud plat.

CÔTÉ DROIT DU LOSANGE.
1. Faites l'inverse, tout en laissant les 2 premières cordes du centre de côté à chaque rang.
2. Continuez en alternant jusqu'à l'obtention d'un noeud plat. (Fig. 10)

LOSANGE DU CENTRE.

CÔTÉ GAUCHE.
1. Prenez la 24e corde comme porte-noeud et tendez en diagonale de droite à gauche en dessous des noeuds plats.
2. Faites une baguette diagonale de noeuds doubles, en finissant avec la 9e corde. (Fig. 12)
3. Ajoutez le nombre de billes désirées au centre du losange.
4. Tendez la corde porte-noeuds (toujours la même) de gauche à droite.
5. Faites une baguette diagonale de noeuds doubles de droite à gauche en finissant avec la 23e corde.

CÔTÉ DROIT.
1. Prenez la 25e corde comme porte-noeuds et tendez en diagonale de gauche à droite en dessous des noeuds plats. (Fig. 12)
2. Faites une baguette diagonale de noeuds doubles en finissant avec la 40e corde.
3. Tendez la corde porte-noeuds de droite à gauche et faites une baguette diagonale de noeuds doubles, en finissant avec la 25e corde.

Reprendre le travail du **côté gauche** du losange à la fin du noeud plat.
1. Continuez en rangs de noeuds plats alternés en augmentant de 2 cordes dans le centre près de la baguette à chaque rang.
2. Continuez jusqu'à la fin du losange.

Reprendre le travail du **côté droit du losange.**
Répétez à l'inverse du côté gauche.
Continuez les rangs de noeuds plats alternés, jusqu'à l'obtention de 3'', à la fin du losange.

PETITS LOSANGES.
1. Divisez par groupes de 12 cordes. (4 losanges)
2. Faites des losanges en ajoutant les billes désirées. (Fig. 12)
3. Faites 5 rangs de noeuds plats alternés, en dessous des losanges. (Fig. 9)

B) DOS.
Faites comme le devant.
Pour réunir le fond :
1. Placez le devant et le dos, endroit sur endroit.
2. Faites un mouchet avec 2 cordes du devant et 2 cordes du dos. (Fig. 2)

Coupez le surplus de corde.

Pour réunir les côtés:

1. Placez les côtés envers sur envers.
2. 3'' plus bas de la poignée du côté extérieur, réunissez les deux côtés en faisant un point de surjet.

Doublez, si désiré.

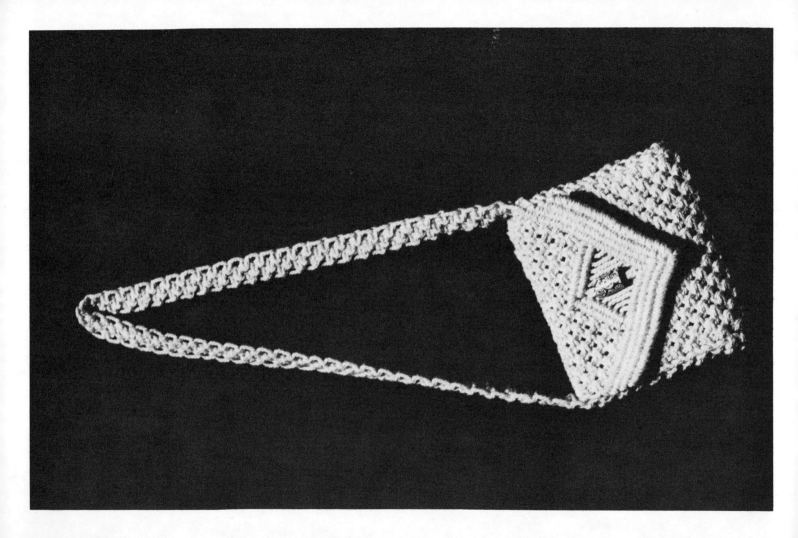

pochette, 5x5"

MATÉRIEL:
- 132 verges de corde 2 mm.
- 1 bille.

EXÉCUTION:
1. Coupez 1 corde de 24".
   Coupez 20 cordes de 5 verges.
   Coupez 3 cordes de 10 verges.
2. Pliez la corde de 24" en deux et fixez horizontalement sur la table de travail.
3. Montez à l'endroit les 20 cordes de 5 verges sur la corde fixée à la table. (Fig. 4)
4. Faites 40 rangs de noeuds plats alternés. (Fig. 9)
   Le dos et le devant sont faits en une seule pièce.

RABAT:
1. Divisez par groupes de 4 et faites 10 cordonnets de 3 noeuds plats. (Fig. 7)
2. Faites 4 rangs de noeuds plats alternés. (Fig. 9)
3. Divisez le travail en deux.
4. Faites une pointe de noeuds plats à gauche et une à droite. (Fig. 10)

LOSANGE DU CENTRE.

CÔTÉ DROIT:
1. Prendre la 20e corde comme porte-noeuds et faites 2 baguettes diagonales ouvertes de gauche à droite en terminant avec la première corde du dernier noeud plat. (Fig. 14)

CÔTÉ GAUCHE:
1. Prendre la 20e corde comme porte-noeuds et faites 2 baguettes diagonales ouvertes de droite à gauche en terminant avec la dernière corde du dernier noeud plat. (Fig. 14)
2. Enfilez les deux cordes du milieu dans la bille.
3. Prendre la première, à gauche, comme porte-noeuds et faites une baguette diagonale de gauche à droite en terminant avec la 20e corde.
4. Prendre la dernière corde de droite comme porte-noeuds et faites une baguette diagonale de droite à gauche en terminant avec le porte-noeuds de gauche.
5. Continuez ainsi en alternant, de gauche à droite, jusqu'à l'obtention de 4 baguettes. (Fig. 12)
6. Coupez les cordes et rentrez les bouts à l'envers du rabat.

(DÉTAIL)

CÔTÉ ET BANDOUILLIÈRE:

1. Pliez la pochette en deux de façon à ce que le 20e et 21e rang forment le fond.
2. Montez à l'endroit une corde de 10 verges, entre le 20e et 21e rang. (Fig. 4)
3. Montez à l'endroit les deux autres cordes de 10 verges de chaque côté.
4. Faites un noeud plat avec les 4 cordes du centre. (Fig. 6)
5. Enfilez la première corde dans une boucle formée entre les rangs du côté gauche de la pochette.
6. Faites un noeud plat avec une corde au centre.
7. Enfilez la dernière corde dans une boucle entre les rangs du côté droit de la pochette.
8. Faites un noeud plat avec une corde au centre.
9. Faites un noeud plat avec les 4 cordes du centre.
10. Continuez les noeuds plats alternés en réunissant les côtés.
11. Continuez jusqu'à l'obtention de 32''.
12. Réunissez l'autre côté en commençant par le haut du côté de la pochette, de la même façon.
13. Coupez et rentrez le bouts des cordes à l'envers du travail.

murale avec cerceau
40"X72"

MATÉRIEL:
- 1030 verges de corde de grosseur 3 mm.
- 1 cerceau de 14" de diamètre.
- 61 cylindres de 1" de diamètre par 1" de longueur.
- 1 gougeon de 44" de longueur.

EXÉCUTION:
1. Coupez 77 cordes de 480".
   Coupez 2 cordes de 44".
2. Montez à l'endroit les 77 cordes pliées en deux. (Fig. 4)
3. Faites une baguette horizontale de noeuds doubles sur les 2 cordes de 44" (porte-noeuds). (Fig. 11)

PREMIER PATRON.
1. Divisez par groupes de 11 cordes.
2. Faites 3 baguettes diagonales fermées de gauche à droite avec les 11 premières cordes. (Fig. 15)
3. Faites 3 baguettes diagonales fermées de droite à gauche avec les 11 cordes suivantes. (Fig. 15)
4. Réunissez les 2 dernières baguettes.
5. Répétez jusqu'à l'obtention de 7 pointes.
6. Enfilez les 2 cordes du milieu des 2e-3e-4e-5e-6e-7e losanges, dans le cylindre.

DEUXIÈME PATRON.
1. Passez les 11 premières cordes.
2. Répétez le 2e,3e,4e rang jusqu'à ce qu'il reste 11 cordes.
3. Dans les losanges entre le premier et deuxième, — le deuxième et troisième, — le quatrième et cinquième, — le cinquième et sixième du rang supérieur, enfilez les 2 cordes du milieu dans les cylindres.

TROISIÈME PATRON.
1. Passez les 22 premières cordes.
2. Répétez le deuxième, troisième et quatrième rang, jusqu'à l'obtention de deux pointes.
3. Répétez le deuxième, troisième et quatrième rang.
4. Dans les losanges entre les deux cylindres du rang supérieur, enfilez les deux cordes du milieu dans le cylindre.

QUATRIÈME PATRON.
1. Passez 33 cordes.
2. Répétez le deuxième, troisième et quatrième rang pour former une pointe.
3. Passez 44 cordes dans le centre; finissez la pointe.

(DÉTAIL)

4. À 12" du haut, faites un noeud double sur le cerceau avec chacune des 66 cordes du centre. (Fig. 37)
5. Attachez les cordes du milieu du cerceau avec une corde de surplus.
6. Faites des noeuds doubles sur la partie inférieure du cerceau avec chacune des cordes. (Fig. 37)

CÔTÉ DROIT:
1. 3" plus bas du cerceau, divisez le travail en deux.
2. Faites 3 baguettes diagonales fermées de gauche à droite en prenant la 77e corde comme porte-noeud et faites des noeuds doubles avec les 11 cordes suivantes. (Fig. 15)

CÔTÉ GAUCHE:
1. Prendre la première corde nouée comme porte-noeuds et faites 3 baguettes diagonales fermées de droite à gauche. (Fig. 15)
2. Passez les 2 cordes du milieu dans le cylindre.
3. Continuez ainsi en prenant toujours la dernière corde porte-noeuds pour faire la première baguette diagonale de chacun des losanges.
4. Après avoir complété un losange, commencez un patron complet en augmentant de 11 cordes au début et à la fin de chaque losange.
5. Répétez jusqu'à l'obtention de 7 losanges.

DIMINUTION:
1. Diminuez de 11 cordes au début et à la fin de chaque rang, après avoir complété le losange.
2. Continuez jusqu'à l'obtention d'un losange.
3. Coupez la frange en diagonale.
4. Faites le gland dans le milieu du cerceau. (utilisez les retailles). (Fig. 26)

murale à relief, 20"X24"

MATÉRIEL:
- 22 verges de corde pâle, grosseur 4 mm.
- 30 verges de corde foncée.
- 1 branche de 20" de longueur.
- Plante.

EXÉCUTION:
1. Coupez 6 cordes pâles de 125".
   Coupez 8 cordes foncées de 125".
   Coupez 1 corde foncée de 75".
2. Pliez les cordes en deux et faites des papillons. (Fig. 22)

CÔTÉ GAUCHE:
1. Montez à l'envers, à gauche de la branche en alternant une corde foncée et une pâle. (Fig. 5), jusqu'à l'obtention de 4 cordes foncées et 3 pâles.
2. Prendre la première corde comme porte-noeud et faites une baguette horizontale avec toutes les cordes. (Fig. 11)
3. Prendre la 2e corde qui est devenue la première comme porte-noeuds et faites une baguette horizontale fermée avec toutes les cordes. (Fig. 15)
4. Répétez jusqu'à l'obtention de 4 baguettes fermées.
5. Faites une 5e baguette ouverte (ne pas nouer la dernière corde.) (Fig. 14)
6. Continuez ainsi jusqu'à la dernière corde.
7. Tournez et fixez le travail à la table de façon à ce que les cordes porte-noeuds soient verticales.
8. Prendre la dernière corde de droite comme porte-noeuds et commencez la corne d'abondance. (Fig. 25)

CÔTÉ DROIT:
Exécutez de la même façon que le côté gauche, à l'inverse.

CENTRE:
1. Espacez les deux côtés de 6".
2. Montez à l'envers la corde foncée de 75". (Fig. 5)
3. 8" plus bas, prendre la dernière corde nouée du côté gauche et droit et faites un noeud avec les cordes du centre pour réunir les deux côtés.
4. Coupez la frange.
5. Fixez la plante sur les cordes du centre.

murale "forêt verte"
43"X36"

MATÉRIEL:
- 1 gougeon de 48 pouces de longueur.
- 1,182 verges de corde, grosseur 3 mm.

EXÉCUTION:
1. Coupez 60 cordes foncées de 390".
   Coupez 36 cordes pâles de 390".
   Coupez 21 cordes foncées de 100" (cordes du centre)
   Coupez 16 cordes pâles de 100".
   Coupez 8 cordes foncées de 170".
2. Réunissez les cordes de 60" et de 36", deux par deux, ce qui donnera une corde à 2 brins.
   Pliez en deux et faites un papillon. (Fig. 22)

CÔTÉ GAUCHE.
1. Montez à l'envers sur le gougeon de gauche à droite en suivant l'ordre suivant et en commençant par les plus longues cordes. (Fig. 5):
   1 foncée, 3 pâles, 7 foncées, 4 pâles, 3 foncées, 2 pâles, 4 foncées.

CENTRE.
1. Montez à l'envers par groupe de la même couleur, 8 pâles, 10 foncées, 8 pâles et 8 foncées.

CÔTÉ DROIT.
   Faites l'inverse du côté gauche.

CÔTÉ GAUCHE.
1. Faites des baguettes horizontales ouvertes de droite à gauche, en commençant avec la dernière corde foncée de 60" comme porte-noeud. (Fig. 14)
2. Terminez par une dernière baguette ouverte avec la corde pâle comme porte-noeud.
3. Faites une baguette de noeuds doubles en donnant une légère courbe, à 14" du gougeon, avec les 3 cordes foncées comme porte-noeud et les cordes du centre pour nouer. (Fig. 11)
4. Terminez avec les 10 premières cordes foncées du milieu. Attention: les cordes du centre sont nouées une à une.
5. Faites la 1ère,2e,3e,4e,6e,7e,9e torsade avec les cordes de la même couleur en utilisant 2 cordes de chaque côté pour nouer, et les autres au centre. (Fig. 8)
6. Faites la 5ième et 8ième torsade, en utilisant 2 cordes pâles et 2 cordes foncées.
7. Faites la 10ième et 11ième torsade avec les cordes de 170".

8. Divisez les cordes par groupe de 4. Laissez les cordes porte-noeud de côté.
9. Faites 1 ½ '' de torsade près de la baguette. (Fig. 8)
10. Détordez le bout des cordes.

CÔTÉ DROIT:

Faites l'inverse du côté gauche.

Pour réunir les deux côtés, faites une torsade avec les cordes porte-noeud. (Fig. 8)

Égalisez les franges et détordez le reste des cordes.

plafonnier avec cerceau, hauteur 48''

MATÉRIEL:
- 520 verges de corde, grosseur 4 mm.
- 8 cylindres de 2'' de longueur.
- 1 cerceau de 4'' de diamètre.
- 2 cerceaux de 8'' de diamètre.
- 2 cerceaux de 10'' de diamètre.
- 1 cerceau de 14'' de diamètre.

EXÉCUTION:
1. Coupez 28 cordes de 390''.
   Coupez 20 cordes de 380''.
2. Pliez les cordes en deux et faites un papillon par cordes. (Fig. 22)
3. Montez à l'endroit les 28 cordes de 390'' sur le cerceau de 4'' de diamètre. (Fig. 4)
4. Faites 6 rangs de noeuds plats alternés en espaçant de ¼ '' de plus entre chacun des rangs. (Fig. 9)
5. Faites un noeud double avec chacune des cordes sur le cerceau de 8'' de diamètre. (Fig. 11)
6. Montez à l'envers sur le cerceau à toutes les 3 cordes une corde de 380''. (Fig. 5). (Montez les 20 cordes). Total: 96 cordes sur le cerceau.

LOSANGES DE LA PARTIE SUPÉRIEURE:
1. Divisez par groupes de 12 cordes.
2. Faites 3 baguettes diagonales fermées de gauche à droite et de droite à gauche. (Fig 15)
3. Enfilez les 2 cordes du milieu de la pointe inférieure dans le cylindre. (4 cylindres).
4. Faites une torsade de 2'' avec les 4 cordes du milieu. (Fig. 8)
5. Faites 3 baguettes diagonales fermées de gauche à droite et de droite à gauche. (Fig. 15)
6. Faites un noeud double par corde, sur le cerceau de 10'' de diamètre. (Fig. 11)
7. Faites 4 rangs de noeuds plats alternés espacés de 1''. (Fig. 9)
8. Faites un noeud double avec chaque corde sur le cerceau de 14'' de diamètre. (Fig. 11)
9. Faites 4 rangs de noeuds plats alternés espacés de 1''.
10. Faites un noeud double par corde sur le cerceau de 10'' de diamètre. (Fig. 11)

LOSANGES INFÉRIEURES:

1. Faites de la même manière que les losanges de la partie supérieure.
2. Faites un noeud double par corde sur le cerceau de 8'' de diamètre. (Fig. 11)
3. Faites 6 rangs de noeuds plats alternés.
4. Enrobez toutes les cordes. (Fig. 23)
5. Égalisez le gland.

colonne, hauteur 60'', diamètre 8''

MATÉRIEL:
- 720 verges de corde, grosseur 4 mm.
- 1 cerceau de 8'' de diamètre.

EXÉCUTION:
1. Coupez 36 cordes de 19 verges.
   Coupez 6 cordes de 24 pouces.
2. Pliez les 36 cordes en deux et faites des papillons. (Fig. 22)
3. Montez les 36 cordes à l'endroit sur le cerceau. (Fig. 4)
   Cet ouvrage est fait en 3 sections verticales.

CÔTÉ GAUCHE:
1. Faites 11 baguettes diagonales ouvertes de droite à gauche en commençant par la 12ième corde comme porte-noeuds. (Fig. 14)
2. Faites une corne d'abondance en prenant la 1ière corde à droite comme porte-noeud. (Fig. 25)

CÔTÉ DROIT:
1. Faites 11 baguettes diagonales ouvertes de gauche à droite en prenant la 1ière corde comme porte-noeuds. (Fig. 14)

2. Faites une corne d'abondance en prenant la dernière corde à gauche comme porte-noeuds. (Fig. 25)
   Avec la dernière nouée à gauche et à droite faites 2 mouchets, 5'' plus bas. (Fig. 2)

CÔTÉ GAUCHE:
1. Faites 11 baguettes diagonales ouvertes de gauche à droite en prenant la 1ière corde comme porte-noeuds.
2. Faites une corne d'abondance en commençant avec la 12ième corde comme porte-noeuds.
3. Continuez la corne en diagonale de gauche à droite en diminuant celle-ci. Après avoir fait un noeud-double, laissez la corde nouée de côté.

CÔTÉ DROIT:
1. Faites 11 baguettes diagonales ouvertes de droite à gauche en prenant la dernière corde comme porte-noeuds.
2. Faites une corne d'abondance en commençant par la 1ière corde comme porte-noeuds.
3. Continuez la corne en diagonale de droite à gauche mais en diminuant celle-ci.
   Recommencez jusqu'à l'obtention de 2½ patrons.

Faites un noeud de feston simple avec une des cordes pour réunir les deux côtés. (Fig. 18)
Répétez pour les deux autres sections.
Réunir les sections à l'envers du travail en les cousant.
Montez, à l'envers sur le premier cerceau, 6 cordes de 24'' à toutes les 12 cordes. (Fig. 5)
Enrobez le bout des cordes 2'' de longueur. (Fig. 23)
Égalisez les glands.

abat-jour avec frange en macramé

MATÉRIEL:
- armature 14" de hauteur X 16" de diamètre.
- corde, grosseur 2 mm.

EXÉCUTION:
Recouvrir chacune des barres de l'armature sauf les pointes de la partie inférieure. (Fig. 30)
La partie inférieure de l'abat-jour est faite par section.
1. Coupez 11 cordes de 70".
2. Pliez les cordes en deux.
3. Faites un montage avec le noeud double de façon à ce que la corde passe de chaque côté, de la barre verticale de l'armature. (Fig. 31)
4. Continuez à monter avec le noeud double, 5 cordes de chaque côté. (Fig. 31)
5. Prendre la 11ième corde comme porte-noeuds, faites une baguette diagonale de gauche à droite. (Fig. 12)
6. Prendre la 12ième corde qui est devenue la 11ième, faites une baguette diagonale de droite à gauche.
7. Répétez le 5 et le 6.
8. Laissez les porte-noeuds de côté.
9. Faites un noeud plat avec 14 cordes au centre et 3 cordes de chaque côté. (Fig. 17)

CÔTÉ GAUCHE:
1. Faites deux baguettes diagonales fermées de gauche à droite. (Fig. 15)
2. Faites une corne d'abondance avec la première corde comme porte-noeuds. (Fig. 25)

CÔTÉ DROIT:
1. Faites deux baguettes diagonales fermées de droite à gauche. (Fig. 15)
2. Faites une corne d'abondance avec la dernière corde comme porte-noeuds. (Fig. 25)

GLAND:
1. Avec la plus longue corde, faites un noeud de feston simple autour de toutes les cordes pour réunir les deux côtés. (Fig. 18)
   Répétez le patron à chaque pointe de l'armature. Égalisez les glands.

abat-jour travaillé par sections

MATÉRIEL:
- Armature de 5" X 8½" de diamètre par 9½" de hauteur.
- 104 verges de corde, grosseur 3 mm.

EXÉCUTION:
Cet abat-jour est faite par sections. (6)
1. Coupez 6 cordes de 100" (pour un panneau) Coupez 3 cordes de 30". (cordes porte-noeuds)
2. Recouvrir toutes les barres de l'armature. (Fig. 30)
3. Pliez en deux les 6 cordes de 100" et montez avec le noeud double entre deux barres verticales sur la partie supérieure de l'armature. (Fig. 31)
4. Avec une des cordes porte-noeuds de 30" faites une baguette horizontale. (Fig. 11)
5. Divisez le travail en deux.

CÔTÉ GAUCHE:
1. Faites 2 baguettes diagonales ouvertes de gauche à droite. (Fig. 14)

CÔTÉ DROIT:
1. Faites 2 baguettes diagonales ouvertes de gauche à droite. (Fig. 14)

Avec une corde porte-noeuds de 30" faites une baguette horizontale. (Fig. 11)
Divisez le travail en deux:

CÔTÉ GAUCHE:
1. Faites 4 baguettes diagonales fermées de droite à gauche. (Fig. 15)
2. Faites un noeud de feston double du côté gauche sur l'armature avec la première corde. (Fig. 20)

CÔTÉ DROIT:
1. Faites 4 baguettes diagonales fermées de gauche à droite. (Fig. 15)
2. Faites un noeud de feston double du côté droit sur l'armature avec la dernière corde. (Fig. 21)
3. Faites un noeud plat avec 6 cordes dans le centre et 2 cordes de chaque côté pour nouer. (Fig. 17)

CÔTÉ GAUCHE:
1. Faites 4 baguettes diagonales fermées de gauche à droite. (Fig. 15)

CÔTÉ DROIT:
1. Faites 4 baguettes diagonales fermées de droite à

gauche.

2. Avec une corde porte-noeuds de 30'' faites une baguette horizontale.

3. Faites une série de noeuds de feston alternatifs, avec 2 cordes. (Fig. 19)

4. Après avoir obtenu la longueur désirée, faites un noeud double sur la partie inférieure de l'armature. (Fig. 11)

5. Coupez et rentrez les cordes à l'envers du travail. Répétez pour les autres panneaux.

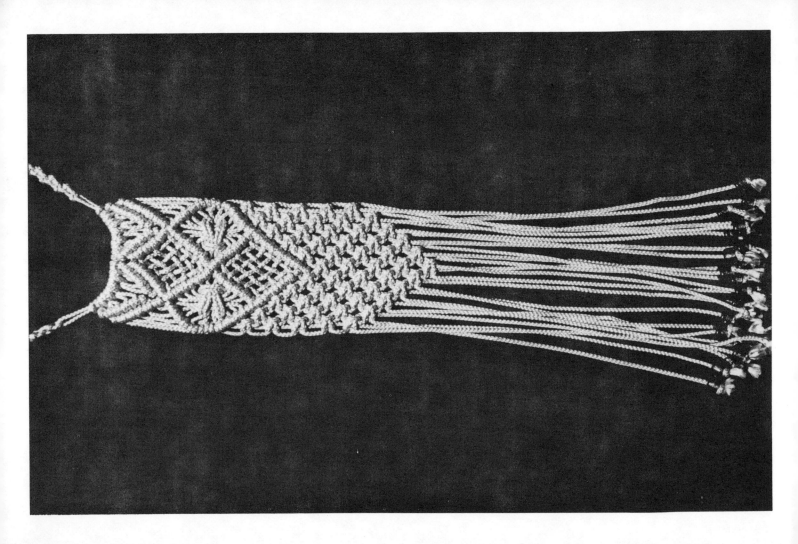

sautoir avec tissage et noeud plat dans losange

MATÉRIEL:
- 24 verges de corde, grosseur 2 mm.
- 24 billes.

EXÉCUTION:
1. Coupez 12 cordes de 50''.
   Coupez 2 cordes de 50''.
2. Fixez les 2 cordes de 50'', horizontalement sur la table de travail.
3. Montez à l'envers les 12 cordes de 50'' au milieu des deux cordes. (Fig. 5)
4. Faites 2 baguettes diagonales fermées de gauche à droite, avec la 1ière corde comme porte-noeud et les cordes 2-3-4-5-6 pour nouer. (Fig. 15)
5. Faites 2 baguettes diagonales fermées de droite à gauche avec la 12ième corde comme porte-noeuds et les cordes 11-10-9-8-7 pour nouer.
6. Répétez 4 et 5 avec les 12 cordes de gauche.
7. Tissez les cordes 8 à 17 inclusivement dans la pointe du centre. (Fig. 29)
8. En dessous du tissage, faites une baguette diagonale de gauche à droite avec la 6ième corde comme porte-noeud et les cordes 7 à 12 inclusiment pour nouer.
9. Faites une baguette diagonale de droite à gauche avec la 19ième corde comme porte-noeuds et les cordes 18 à 12 inclusivement pour nouer.
10. Faites une baguette diagonale de droite à gauche avec la 6ième corde comme porte-noeuds et les cordes 5-4-3-2-1 pour nouer.
11. Faites une baguette diagonale de gauche à droite avec la 19ième corde comme porte-noeuds et les cordes 20-21-22-23-24 pour nouer.

CÔTÉ GAUCHE:
1. Mettre la 1ière et la 12ième corde de côté.
2. Faites un noeud plat avec 6 cordes au centre et 2 cordes de chaque côté pour nouer. (Fig. 17)

CÔTÉ DROIT:
Répétez le côté gauche à l'inverse.
Faites le noeud plat en commençant par la 2ième partie et terminez par la première.

CENTRE:
1. Tissez les cordes dans la pointe du centre. (Fig. 29)
2. Faites une baguette diagonale de chaque côté pour fermer le losange.

(DÉTAIL)

CÔTÉ GAUCHE:

Faites 5 rangs de noeuds plats alternés. (Fig. 9)

CÔTÉ DROIT:

Faites 5 rangs de noeuds plats alternés.

DESSOUS DU LOSANGE:

1. Faites 5 rangs de noeuds plats alternés.
2. Diminuez de 2 cordes au début et à la fin de chaque rang pour former la pointe de noeud plat. (Fig. 10)
3. Égalisez la frange et enfilez les billes.

TOUR DU COU:

Avec les 2 cordes de droite, faites 6'' de noeuds de feston alternés. (Fig. 19)
Répétez avec les cordes de gauche.

couronne chinoise (Fig. 24)

1. Retenir toutes les cordes ensemble par un mouchet ou une bande élastique.
2. Divisez par groupes de quatre.
3. Passez la 1ière corde par dessus la deuxième en laissant une boucle.
4. Passez la 2ième corde par dessus la 1ière et la 3ième.
5. Passez la 3ième corde par dessus la 2ième et la 4ième.
6. Passez la 4ième corde par dessus la 3ième et dans la boucle formée par la 1ière.
7. Tirez toutes les cordes pour former le noeud chinois.

gland (Fig. 26)

1. Coupez les retailles à la longueur désirée et réunir avec une corde.
2. Divisez en deux les cordes de la pièce terminée.
3. Mettre 4 cordes du centre de côté.
4. Attachez les retailles à l'aide des 4 cordes.
5. Ramenez ensemble toutes les cordes et égalisez.

noeud double sur cerceau (Fig. 37)

1. Faites un noeud double avec la 7ième corde sur le cerceau.
2. Faites un noeud double sur le cerceau de gauche à droite avec les cordes 8-9-10-11-12.
3. Faites un noeud double sur le cerceau de droite à gauche avec les cordes 6-5-4-3-2-1.
4. Passez toutes les cordes à travers le cerceau. La partie inférieure du cerceau passera par dessus les cordes.
5. Faites un noeud double sur la partie inférieure du cerceau de droite à gauche en commençant par la 12ième corde.

Pour agrémenter, on peut ajouter des billes dans le centre du cerceau avant de faire les noeuds doubles sur la partie inférieure du cerceau.

index des figures

1- grosseur des cordes

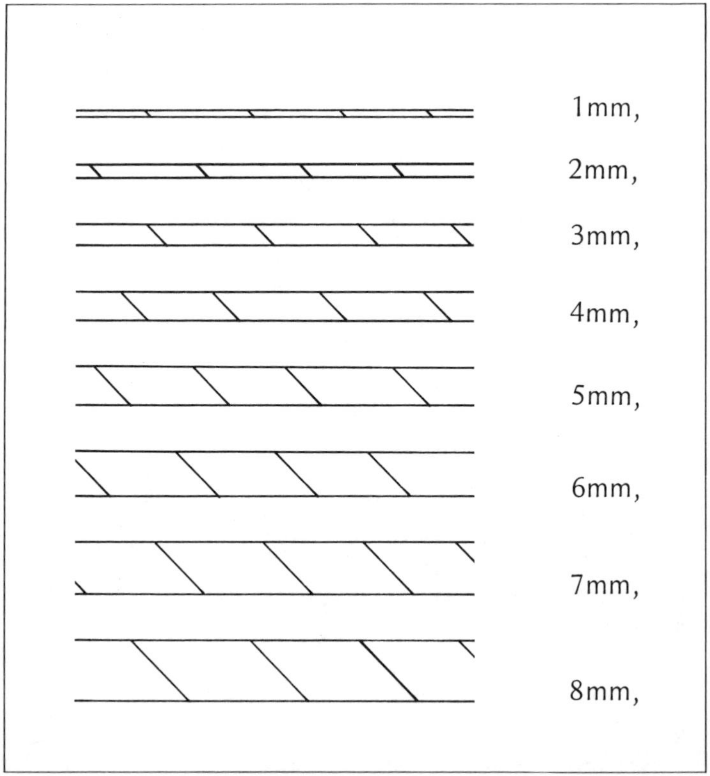

1mm,

2mm,

3mm,

4mm,

5mm,

6mm,

7mm,

8mm,

2- mouchet

3- noeuds de capucin

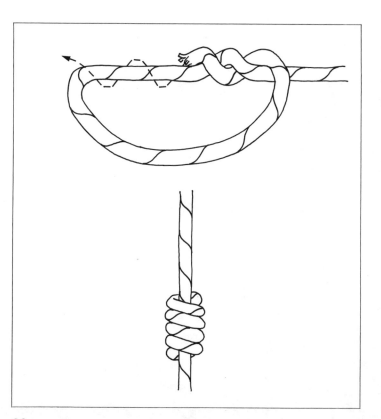

4- montage à l'endroit

5- montage à l'envers

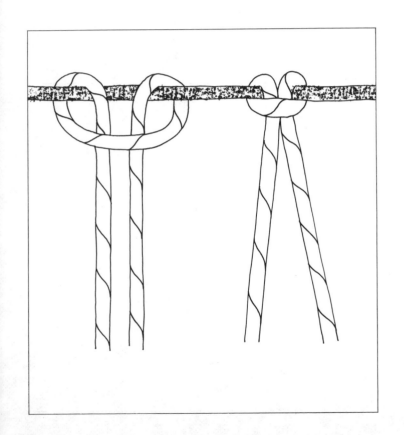
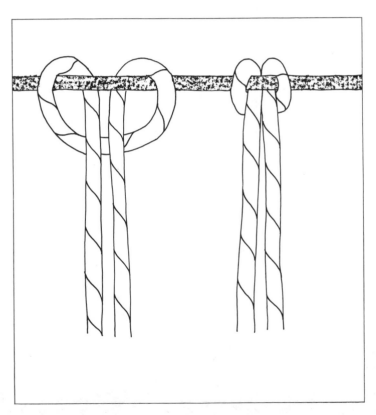

6- noeud plat

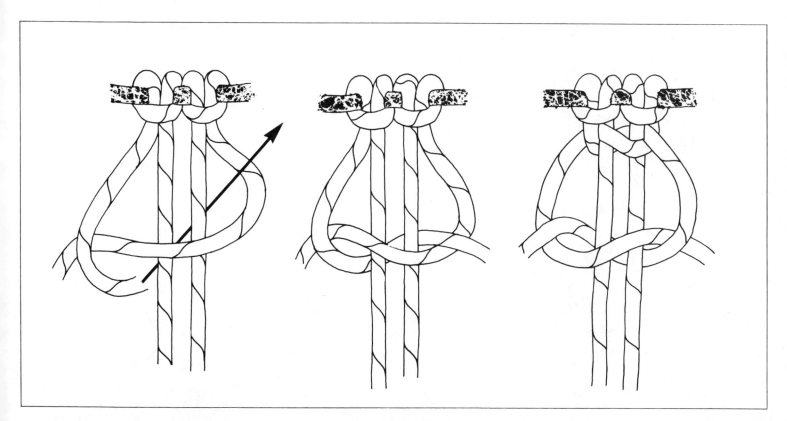

7- cordonnet de noeud plat　　8- torsade

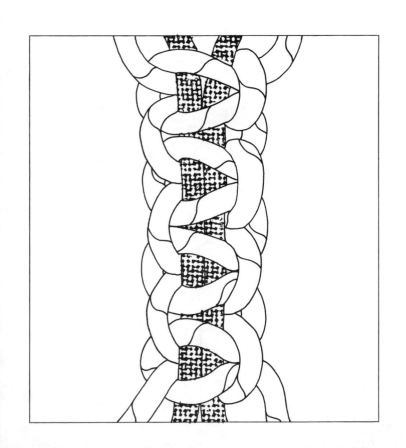

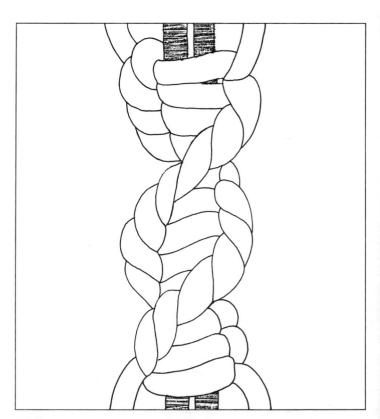

9- noeuds plats alternés

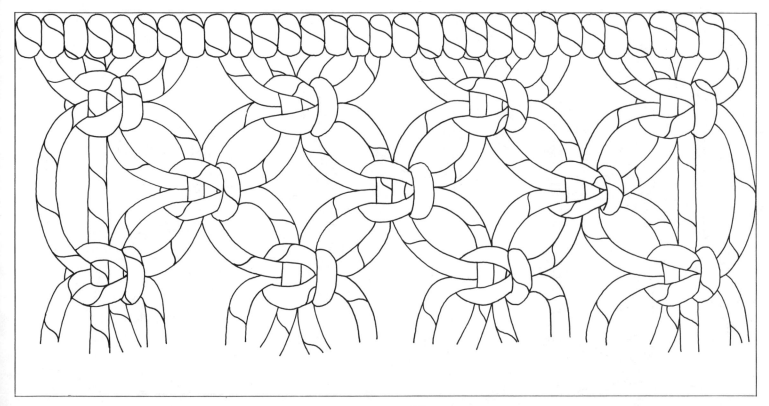

10- noeuds plats en pointe ou en "v"

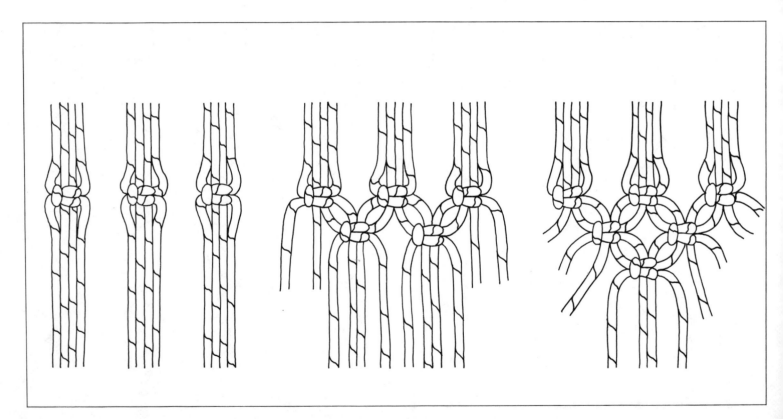

11- baguettes horizontales de noeuds doubles

12- baguettes diagonales

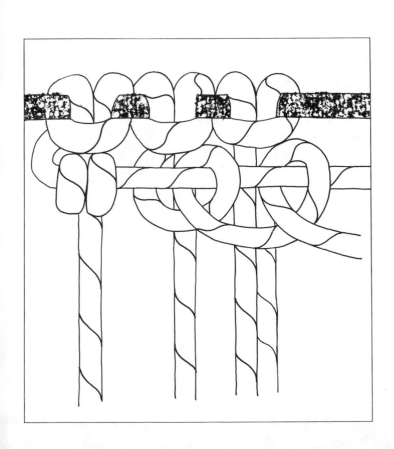

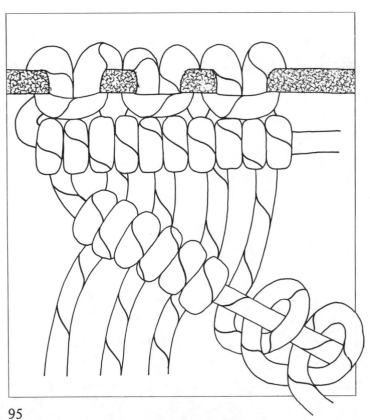

13- baguettes en "x"

14- baguettes ouvertes

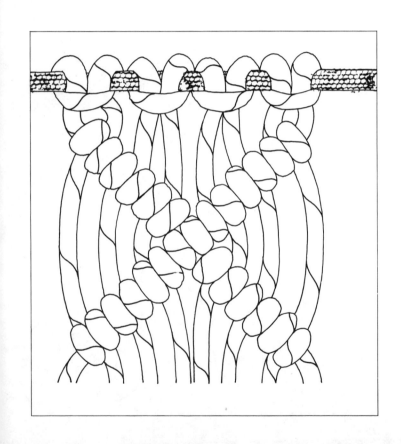

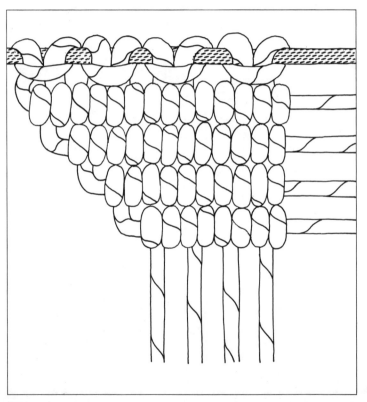

15- baguettes fermées

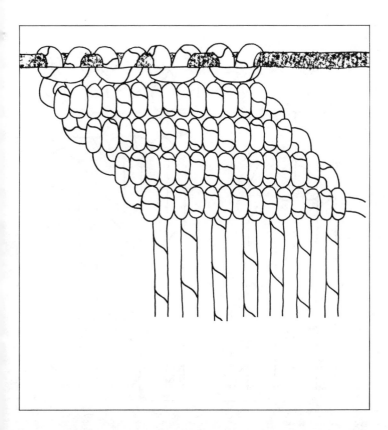

16- noeuds doubles verticaux

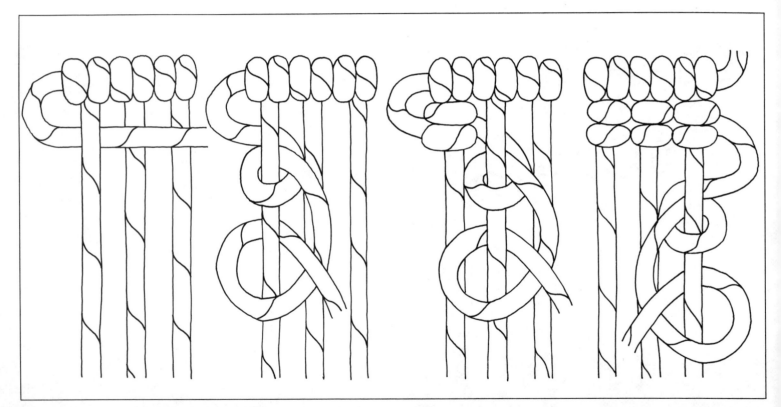

17- noeud plat au centre d'un losange de baguettes de noeuds doubles

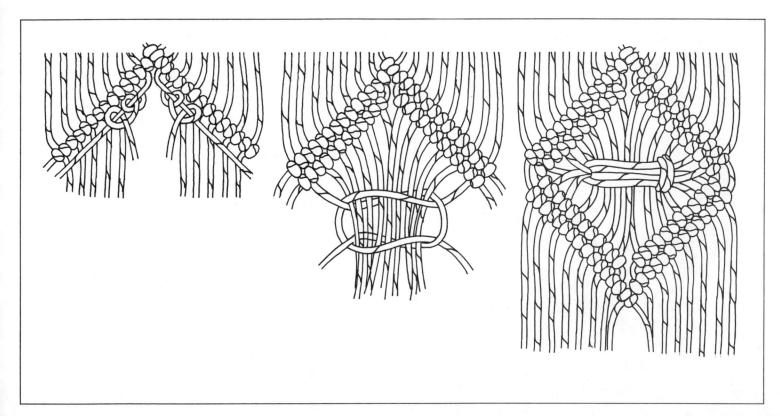

18- feston simples

19- feston alternés

20- feston double du côté gauche

21- feston double du côté droit

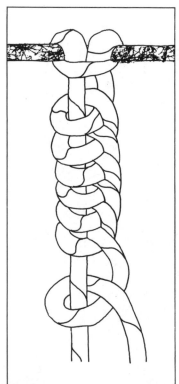

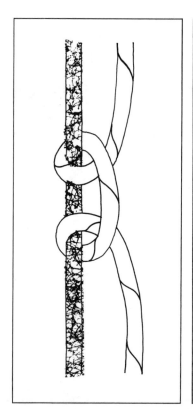

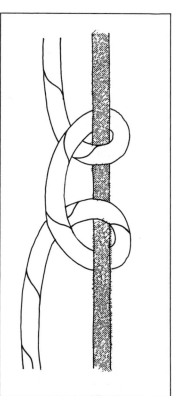

22- papillon

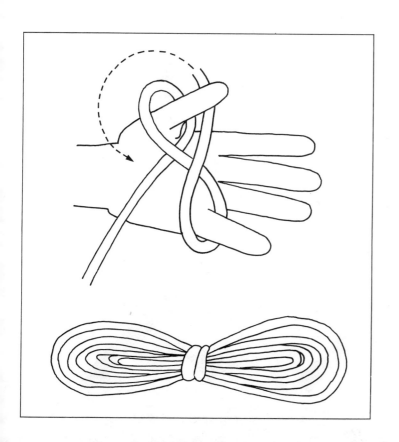

23- enrobage

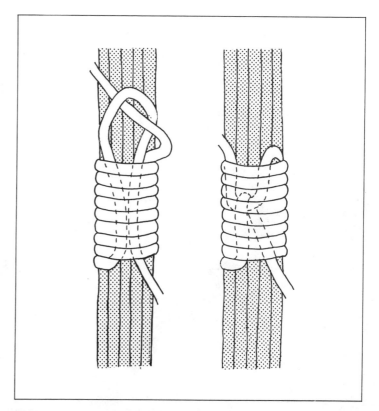

24- couronne chinoise

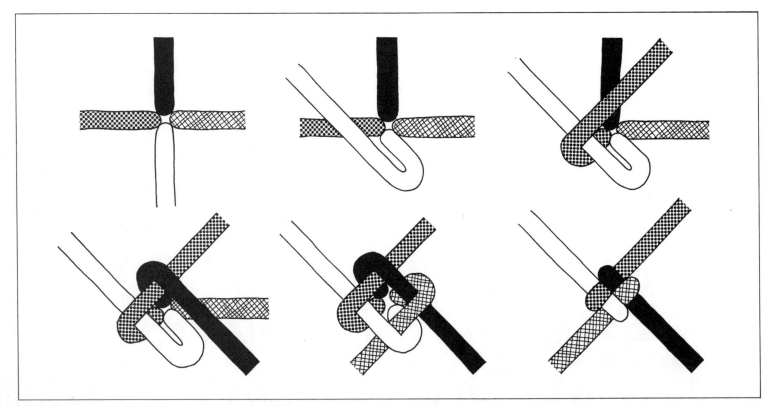

25- corne d'abondance ou baguette cumulative

26- gland

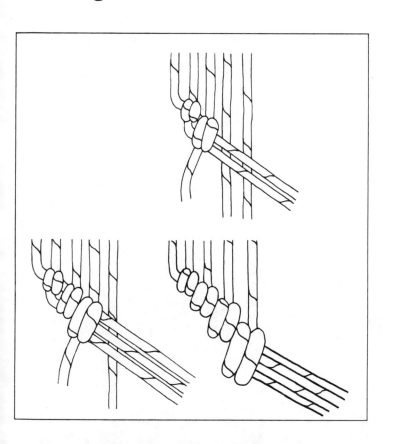

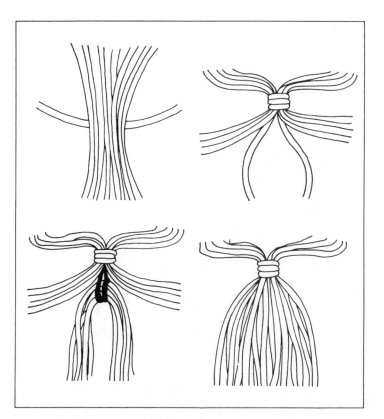

27- fleurs

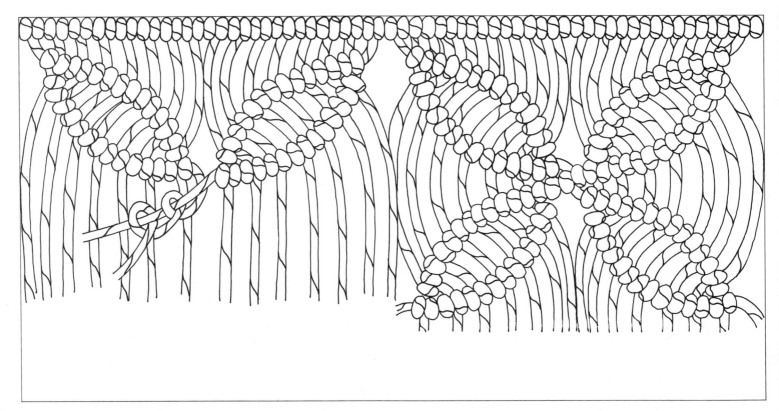

28- coquille

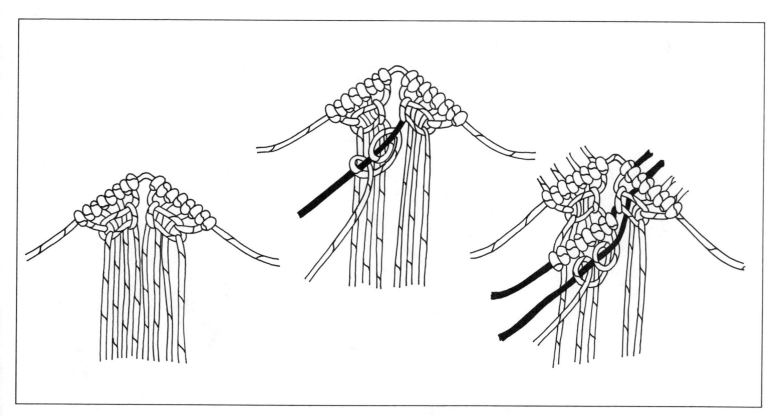

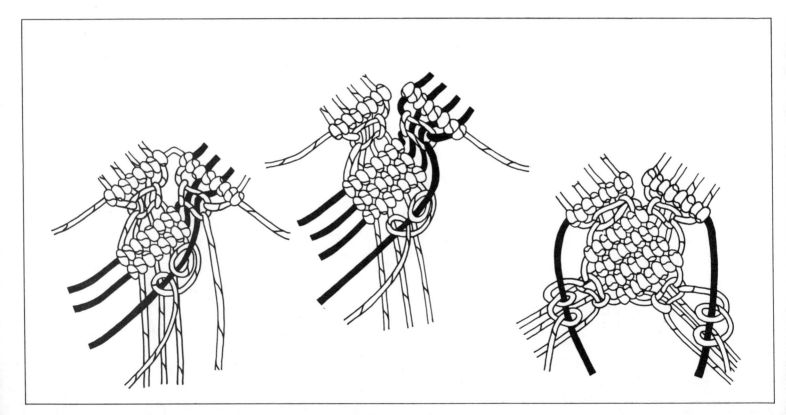

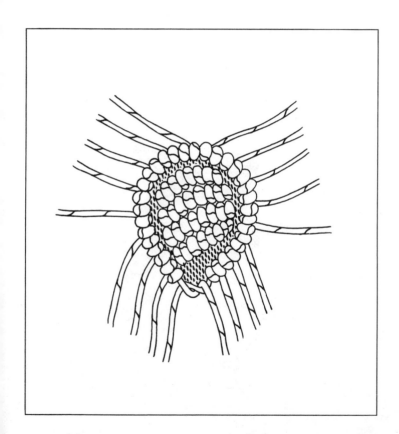

29- tissage

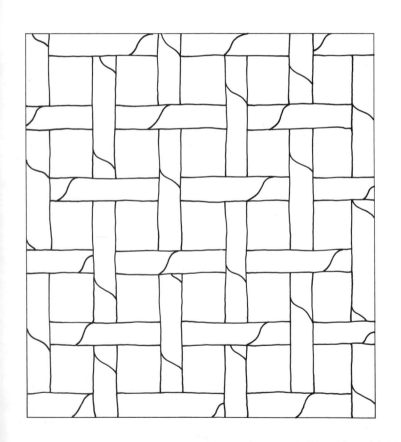

30- recouvrir une armature

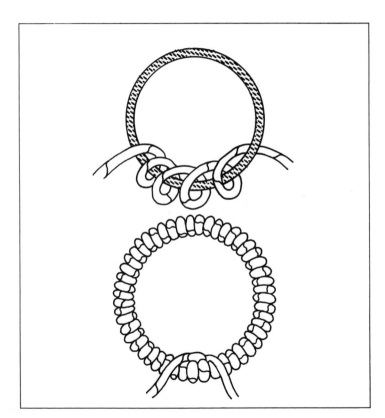

31- montage à noeuds doubles

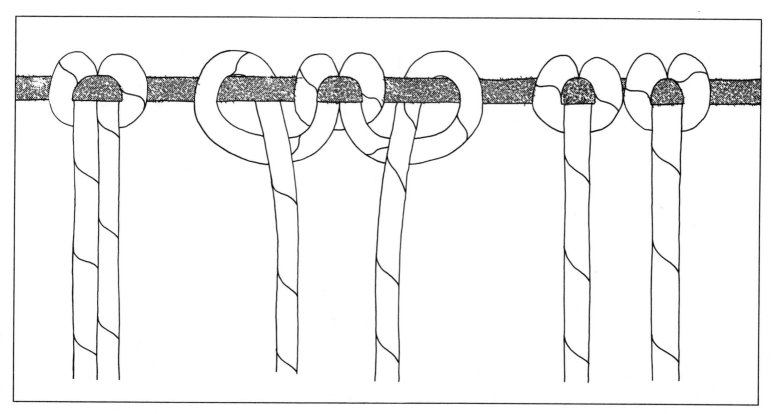

32- tête de turc

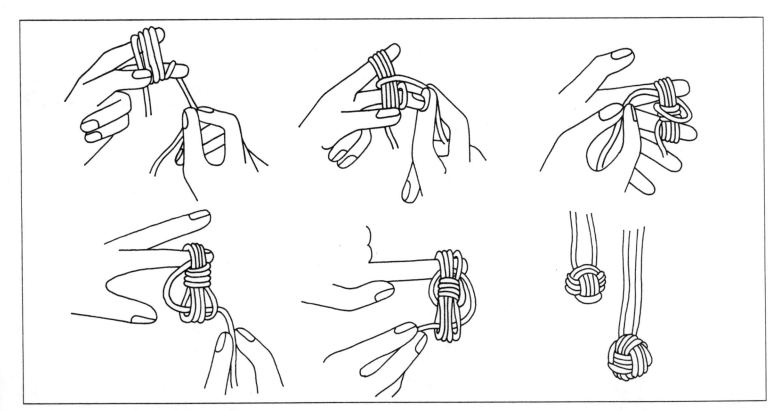

33- picot

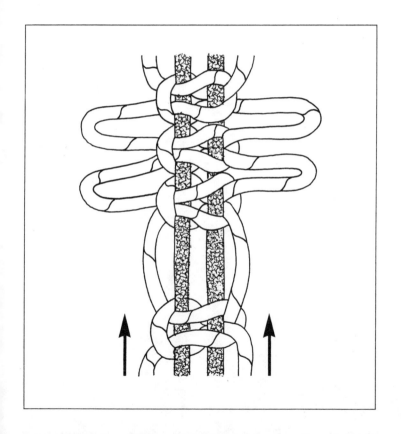

34- rajouter une corde dans un noeud plat

35- rajouter une corde dans une baguette de noeud double

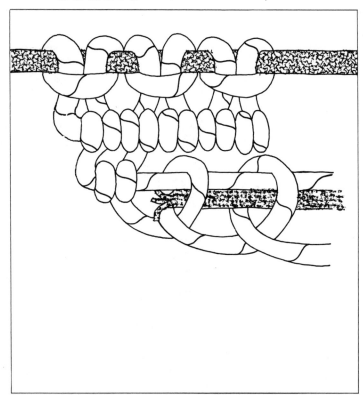

36- angle

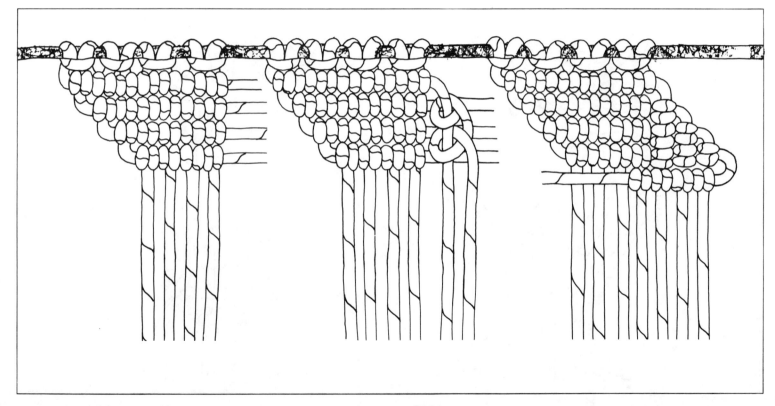

37- noeud double sur cerceau

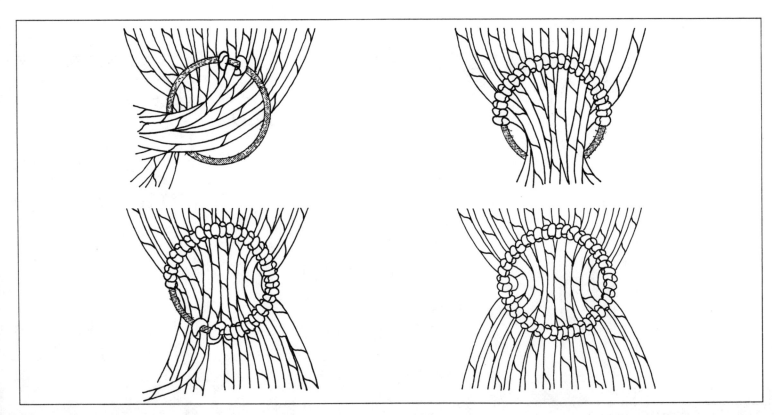

38- panier

115

lexique

Noeud double:	baguette — barrette.
Baguette horizontale:	série de noeuds doubles horizontaux.
Baguette diagonale:	série de noeuds doubles diagonaux.
Baguette verticale:	série de noeuds doubles verticaux.
Corde porte-noeud:	corde sur laquelle on fait les noeuds.
Corde à nouer:	corde avec laquelle on noue.
Corde:	nom donné à n'importe quel matériau utilisé pour nouer.
Papillon:	petit échevau.
Mouchet:	noeud simple.
Pointe de diamant:	losange fait de noeuds doubles ou de noeuds plats.
Cordonnet:	série de noeuds en longueur.
Gougeon:	bâton.

table des matières

119

Achevé d'imprimer
à Montréal, le premier septembre 1977
sur les presses de l'Imprimerie Jacques-Cartier Inc.